Highlights杂志社　编绘

美国经典专注力培养大书
潜能大开发

CNS PUBLISHING & MEDIA
湖南少年儿童出版社
HUNAN JUVENILE & CHILDREN'S PUBLISHING HOUSE

准备好了吗？ …… 1

奇怪真奇怪！ …… 2

趣味大发现 …… 14

开心农场 …… 14

画展 …… 16

一起来骑马 …… 18

超市大购物 …… 20

英语教室 …… 22

飞行课 …… 24

十字路口 …… 26

哪里不对？ …… 28

奇妙的冰雕 …… 28

花园写生 …… 29

水上漂流 …… 30

快乐赛车 …… 31

红衣乐队 …… 32

溜冰场 …… 33

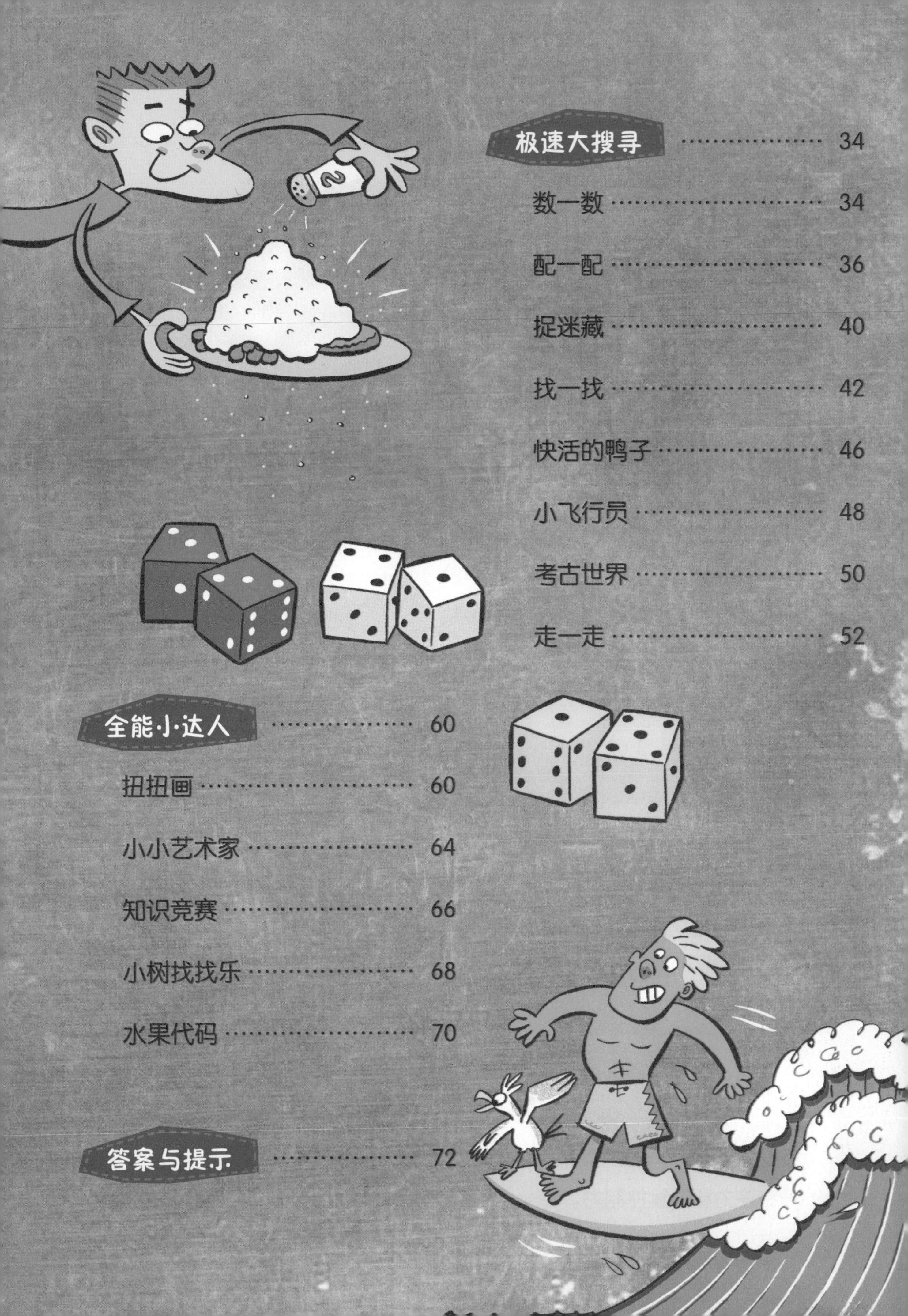

极速大搜寻 …… 34

数一数 …… 34

配一配 …… 36

捉迷藏 …… 40

找一找 …… 42

快活的鸭子 …… 46

小飞行员 …… 48

考古世界 …… 50

走一走 …… 52

全能小达人 …… 60

扭扭画 …… 60

小小艺术家 …… 64

知识竞赛 …… 66

小树找找乐 …… 68

水果代码 …… 70

答案与提示 …… 72

宝宝专注力发展指南

专注力，又称为“注意力”，是指我们的视觉、听觉或者其他心理活动集中于某一种特定事物和活动的能力。如专心看动画片而忽略了妈妈的呼唤声，或者沉浸在书本的世界中而忽略旁边的人。

注意又分为无意注意和有意注意。有意注意持续时间的长短对孩子的学习和自我控制有很大的影响。

3~4 岁宝宝

有意注意持续时间约 3~5 分钟。宝宝需要在爸妈的陪伴下来玩这本游戏书，书中多彩的图片、滑稽的形象和有趣的配音，都能够引起宝宝的注意力，激发他们学习和玩耍的兴趣。

4~5 岁宝宝

有意注意持续时间为 10 分钟左右，对细节的注意仍然比较差。爸妈可以利用书中的画画、涂色等小游戏引起孩子的学习兴趣，培养专注力。

5~6 岁宝宝

有意注意持续时间约为 10~15 分钟。这个阶段的宝宝可以开始尝试自主阅读和游戏了，视觉搜索类游戏非常适合他们。爸妈应该让孩子多用语言来描述插图中的场景和故事，帮助他们集中注意，提高专注力。

6~7 岁宝宝

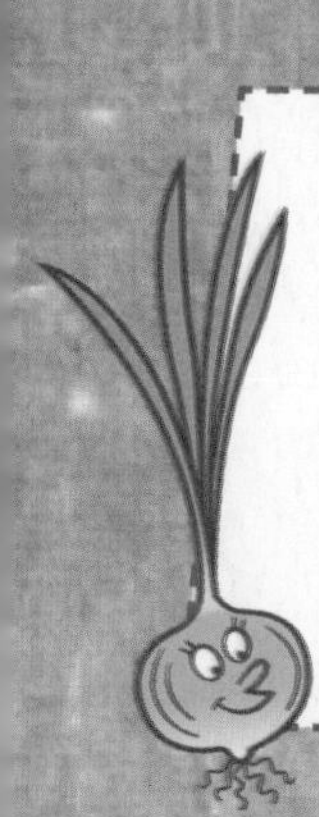

有意注意持续时间达到了 15~20 分钟。这个年龄段的孩子可以多玩一玩“智力竞赛”和“单词接龙”类的游戏了，玩游戏的时候，爸妈应该跟孩子进行适时的互动，对他的表现进行反馈和评价，有助于他们提升专注力和自我控制力。

准备好了吗?

精彩的游戏就要开始了！请你在本书中找到以下这几幅图，并回答下面的问题吧。

12~13页的图中一共有几只猴子？

你能在24~25页找出13只鸟吗？

奇怪真奇怪！
大卫·赫尔顿/绘
5
2

你觉得这幅图奇
怪吗？仔细找找，看
你能发现几个奇怪
之处吧。

奇怪真奇怪！
爱丽丝·派索/绘

美食烹饪
美食烹饪
你觉得这幅图奇怪吗？仔细找找，看你能发现几个奇怪之处吧。

奇怪真奇怪！
希拉·贝利/绘

邮箱
你觉得这幅图奇怪吗？仔细找找，看你能发现几个奇怪之处吧。
Highlights

苏珊·劳森/绘

校车
你觉得这幅图奇怪吗？仔细找找，看你能发现几个奇怪之处吧。
Highlights

奇怪真奇怪！

大卫·比林斯/绘

农贸集市

你觉得这幅图奇怪吗？仔细找找，看你能发现几个奇怪之处吧。

简·狄柏德/绘

WMKY
你觉得这幅图奇
怪吗？仔细找找，看
你能发现几个奇怪
之处吧。
Highlights

趣味大发现 • 开心农场

下面的图中至少有15个地方不对劲，你发现了吗？
请找出来吧。

趣味大发现 • 画展

下面的图中至少有15个地方不对劲，你发现了吗？
请找出来吧。

趣味大发现·一起来骑马

下面的图中至少有15个地方不对劲，你发现了吗？
请找出来吧。

趣味大发现 • 超市大购物

下面的图中至少有15个地方不对劲，你发现了吗？
请找出来吧。

趣味大发现 • 英语教室

下面的图中至少有15个地方不对劲，你发现了吗？
请找出来吧。

趣味大发现 • 飞行课

下面的图中至少有15个地方不对劲，你发现了吗？
请找出来吧。

趣味大发现 • 十字路口

下面的图中至少有15个地方不对劲，你发现了吗？
请找出来吧。

哪里不对？

奇妙的冰雕

仔细观察下图，你发现哪些地方有问题了吗？请把它们找出来吧。

花园写生

仔细观察下图，你发现哪些地方有问题了吗？请把它们找出来吧。

哪里不对？

水上漂流

仔细观察下图，你发现哪些地方有问题了吗？请把它们找出来吧。

快乐赛车

仔细观察下图，你发现哪些地方有问题了吗？请把它们找出来吧。

哪里不对？

红衣乐队

仔细观察下图，你发现哪些地方有问题了吗？请把它们找出来吧。

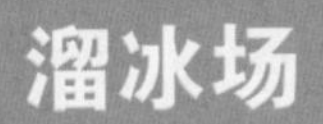

溜冰场

仔细观察下图，你发现哪些地方有问题了吗？请把它们找出来吧。

极速大搜寻 • 数一数

圈出5个 4串 3朵 2个 1只

极速大搜寻 · 配一配

图中的小鸟都是成对的，请你来给小鸟们连线配对吧。你能把10组都连对吗？

极速大搜寻 • 配一配

下图中有两瓶果汁的盒子是一模一样的，你能找到它们吗？

下图中有两盏南瓜灯是一模一样的，你能找到它们吗？

极速大搜寻 • 捉迷藏

左图中藏了12个小物品，你能把它们找出来吗？

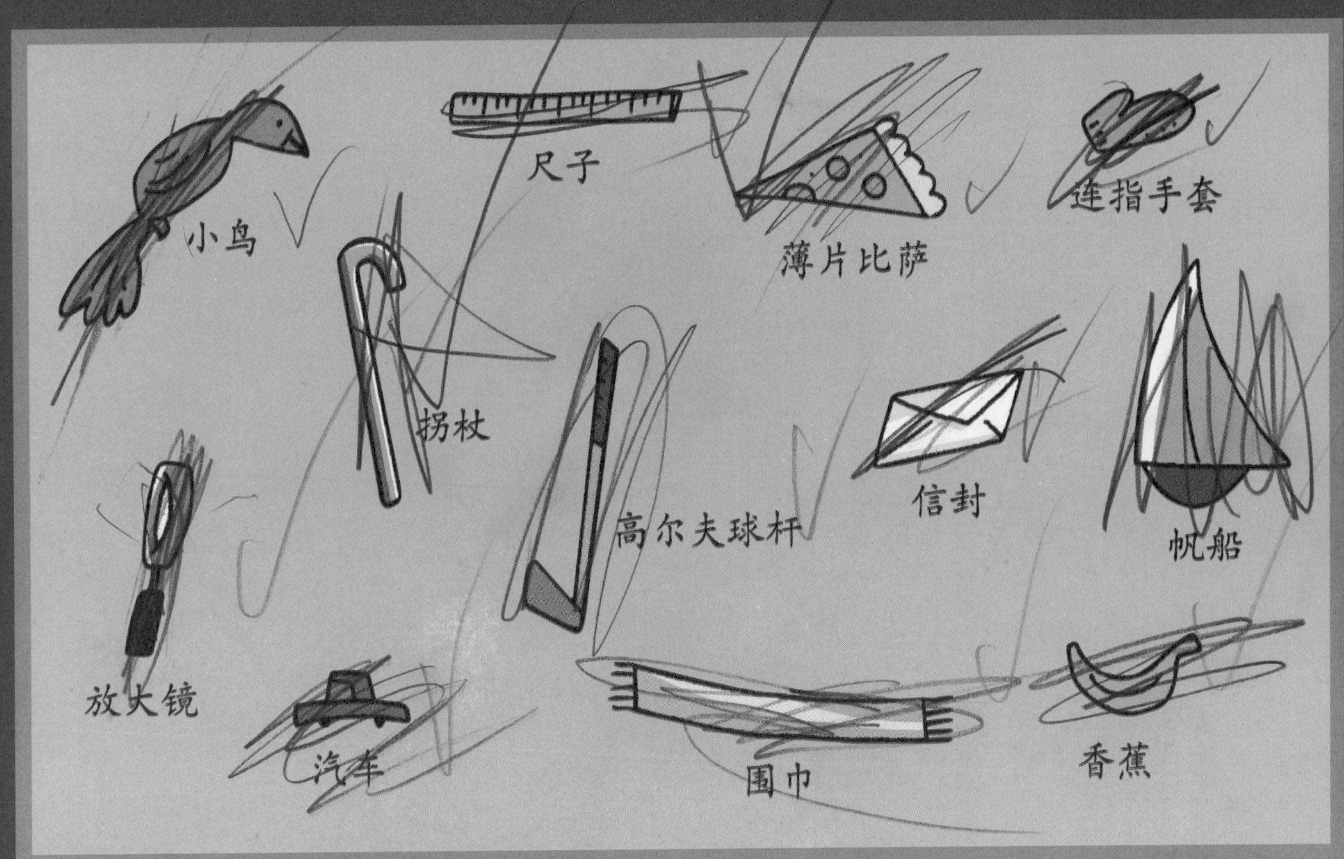

连一连 请用线条把图中的点按数字1~24的顺序连起来，看看是什么东西吧。

极速大搜寻 • 找一找

请你仔细看一看，找出两幅图中不一样的地方吧。

极速大搜寻 • 找一找

请你仔细看一看，找出两幅图中不一样的地方吧。

极速大搜寻 • 快活的鸭子

小鸭子最喜欢来公园玩了。你能找到15只鸭子吗？

极速大搜寻 • 小飞行员

给下面的画涂上颜色，并找一找下面这些小物品吧！

极速大搜寻 • 考古世界

给下面的画涂上颜色，并找一找下面这些小物品吧！

极速大搜寻 • 走一走

游行快要开始了！请你帮一帮左上角的乐手，让他快点回到乐队中吧。别忘了画出路线图哦。

极速大搜寻 • 走一走

餐厅里有人正在过生日呢！请你帮左上角的服务员
找到正确的路线，把蛋糕送到小寿星的桌子上吧。

极速大搜寻 • 走一走

小猫们都想去哪里呢？请你动手画一画，帮它们到达各自的目的地吧。

极速大搜寻 • 走一走

小丑洛克、斯特和乔乔想要去取他们的交通工具。请你动手画一画，看看他们分别使用什么交通工具吧。

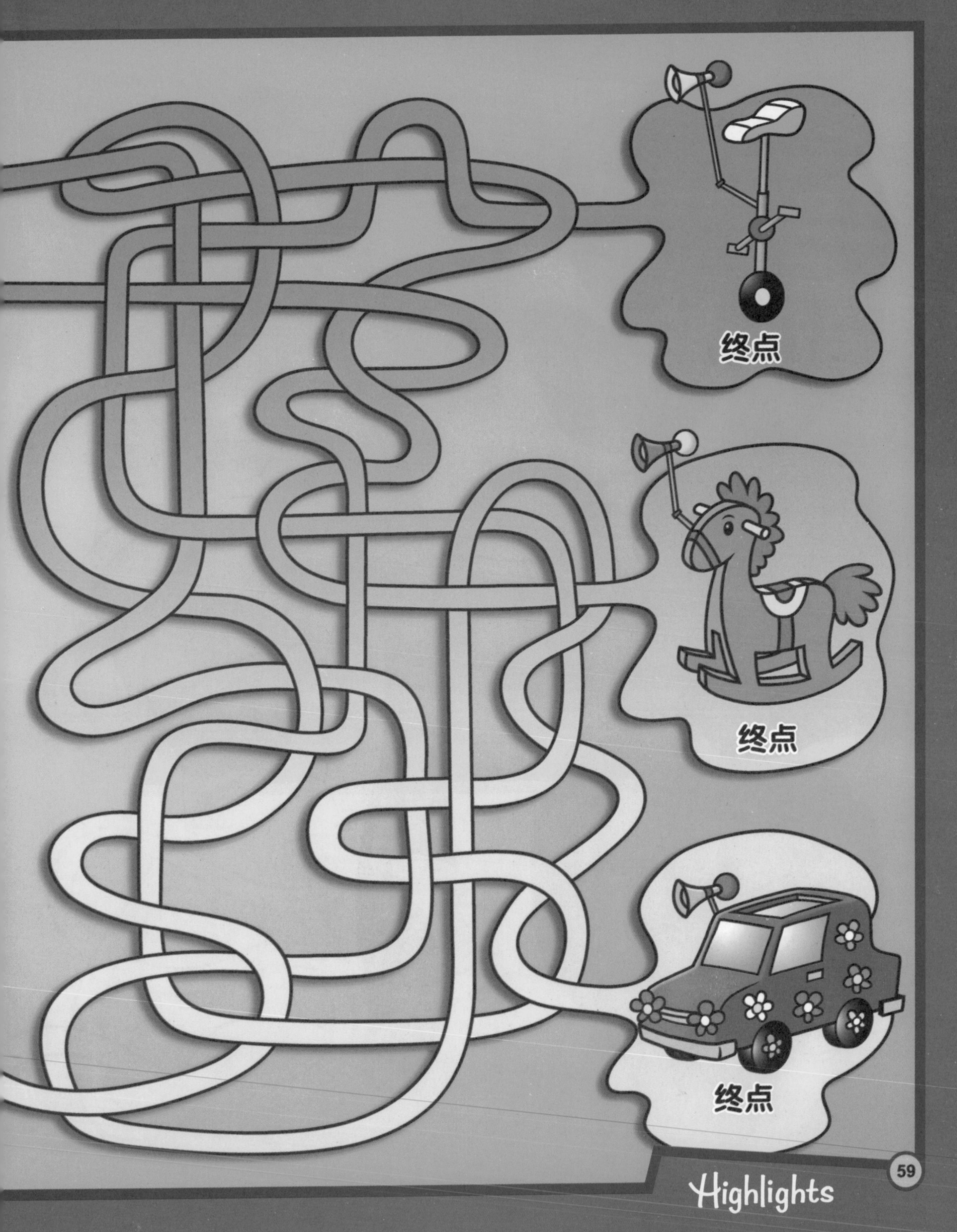

全能小达人·扭扭画

绿色的动物和植物们都扭曲变形了，你还能认出它们分别是什么吗？

下面的物品冬天才会出现，它们都扭曲变形了，你还能认出它们分别是什么吗？

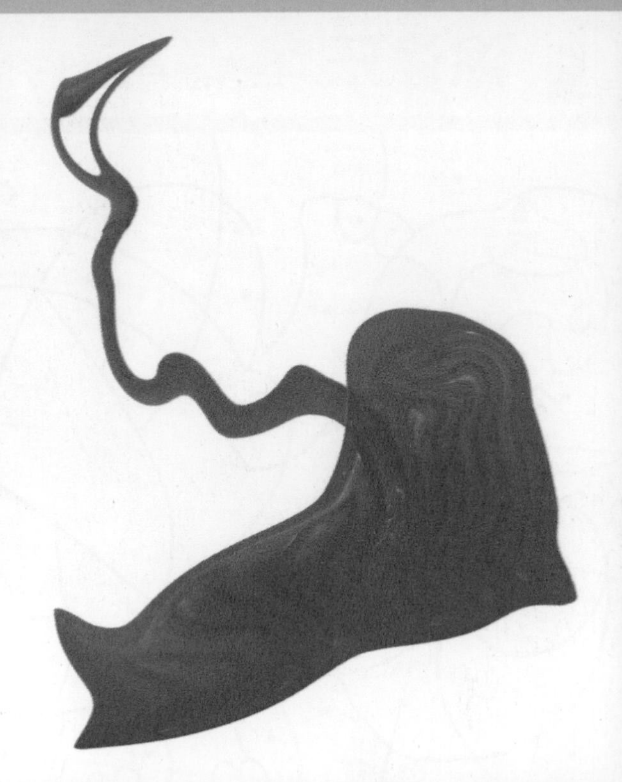

全能小达人·小小艺术家

涂涂乐 给有黑点的格子涂上颜色，看看这个大东西是什么呢。

涂涂乐 对照左图，给右边的蛋糕涂上一样的颜色。

拿出你的彩笔来创作吧。

全能小达人 • 知识竞赛

1. 说出三种咸味的食物。
2. 说出三个以"one"结尾的单词。
3. 一年有54个星期。
○正确 ○错误
4. 英文单词"food"是什么意思？
○年纪 ○水 ○食物
5. 哪只鲨鱼的牙齿更多？请你圈出来。

下面一共有10道智力题，试试看，你能答对几道题呢？

6. 说出两种需要使用拍子的运动。

7. 美国总统住在华盛顿的什么地方呢？

8. 说出两个英文名称以字母A开头的国家。

9. 所有的蜘蛛都有八条腿。

○正确　○错误

10. 上面有两组色子的点数相同，请圈出来。

全能小达人 • 小树找找乐

下图中藏了18个与“小树”有关的英语单词，请你把它们找出来吧。你可以横向、纵向或斜向寻找。我们已经帮你找出“PEAR”了，加油吧！

单词表

ASH
ASPEN
BEECH
BIRCH
CEDAR
CHESTNUT
DOGWOOD
ELM
FIR
MAPLE
OAK
PALM
~~PEAR~~
PINE
REDWOOD
SPRUCE
WALNUT
WILLOW

J A S P E N O W Q
V F P A L M A A X
B I R C H Y K L R
E R U Z J P I N E
E Y C E D A R U D
C H E S T N U T W
H Q L V (P E A R) O
X Z M A P L E Y O
Y J D O G W O O D
W I L L O W A S H

轻松一下 画一棵小树吧，树上画只小猫或小鸟，或者干脆把你自己画上去吧。

全能小达人 • 水果代码

下图中每种水果都有一个特定的代码，把对应的代码填在右图空格处，读一读这四个有趣的笑话吧。

为什么橘子要去看医生?

____ ____ ____ ____ ____ ____，____

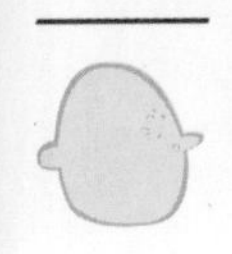     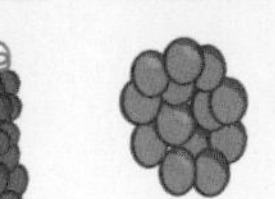 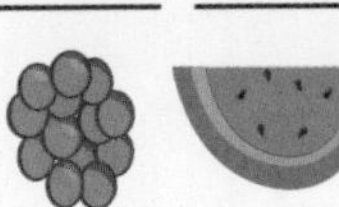

____ ____ ____ ____ ____ ____ ____ ____ ____ ____ ____.

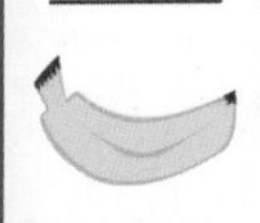 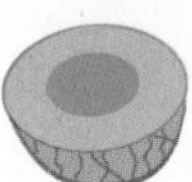 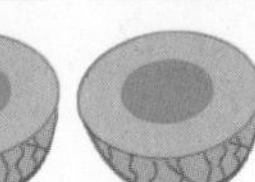   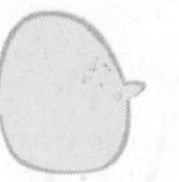 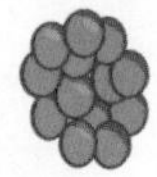   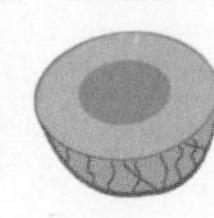  

香蕉最擅长什么体操动作?

____ ____ ____ ____ ____ ____

双胞胎最喜欢什么水果?

____ ____ ____ ____ ____

 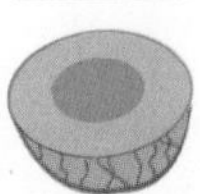    

哪种水果被称为“伤心的水果”?

____ ____ ____ ____ ____ ____ ____ ____ ____ ____

    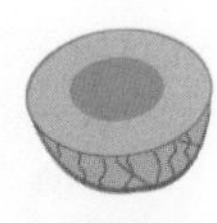  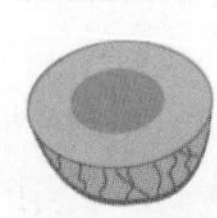 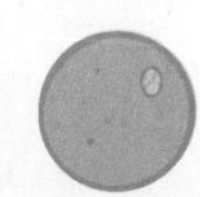 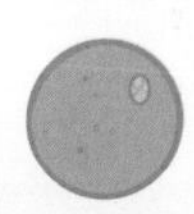 

答案与提示

注意：P1~13，P28~33的游戏没有标准答案，请发挥你的想象力吧！

P14~15

这是我们找到的错误，也许你还能找到更多。

P16~17

这是我们找到的错误，也许你还能找到更多。

P18~19

这是我们找到的错误，也许你还能找到更多。

P20~21

这是我们找到的错误，也许你还能找到更多。

P22~23

这是我们找到的错误，也许你还能找到更多。

P24~25

这是我们找到的错误，也许你还能找到更多。

P26~27

这是我们找到的错误，也许你还能找到更多。

P34~35

P36~37

P38~39

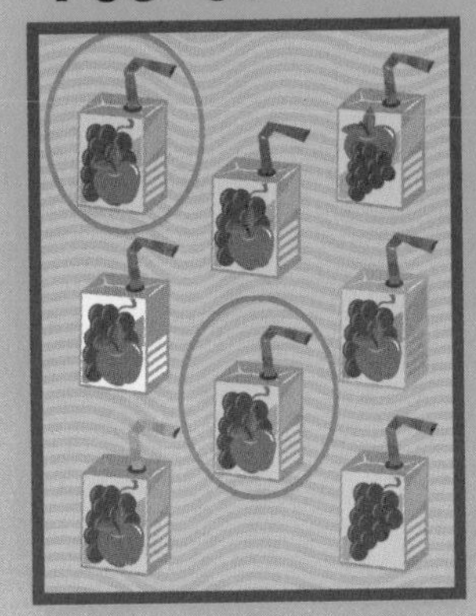

P40

P41

P42~43

P44~45

P46~47

P48~49

P50~51

P52~53

P54~55

P56~57

P58~59

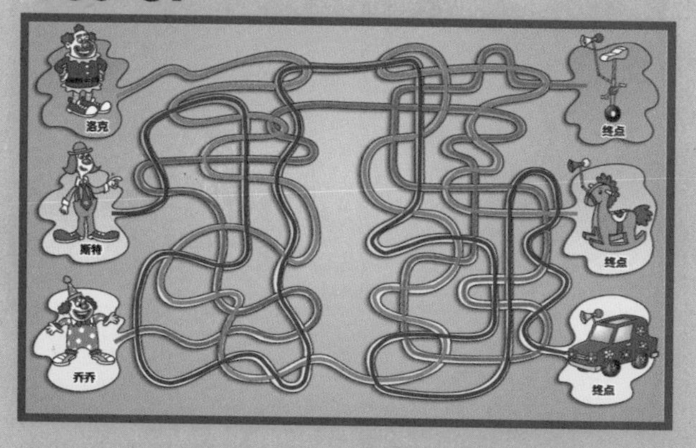

P60~61

P62~63

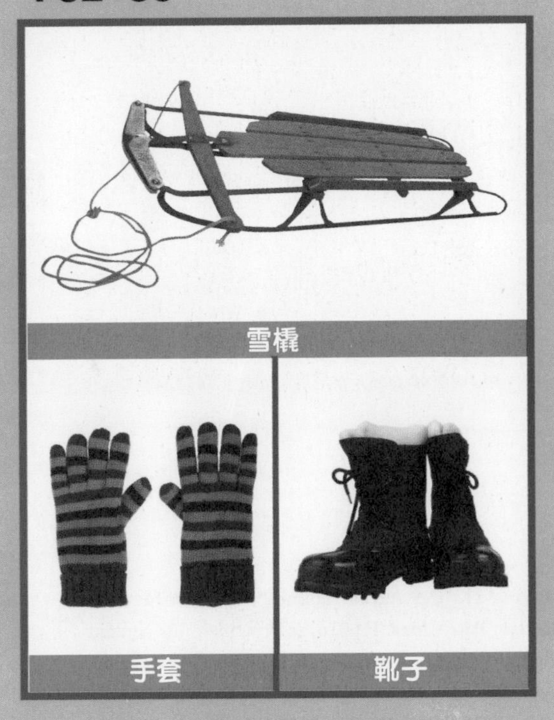

P64

P66~67

1. 咸菜、咸蛋、腊肉。你还知道其他的答案吗?
2. bone, phone, cone. 你还知道其他的答案吗?
3. 错误
4. 食物
5. 圈出下面的那条鲨鱼
6. 羽毛球、网球。你还知道其他的答案吗?
7. 白宫
8. America, Australia. 你还知道其他的答案吗?
9. 正确
10. 红色与黄色相同

P68~69

J A S P E N O W Q
V F P A L M A A X
B I R C H Y K L R
E R U Z J P I N E
E Y C E D A R U D
C H E S T N U T W
H Q L V P E A R O
X Z M A P L E Y O
Y J D O G W O O D
W I L L O W A S H

P70~71

1. It wasn't peeling well.
2. Splits.
3. Pears.
4. A blue berry.

图书在版编目（CIP）数据

潜能大开发 / 美国Highlights杂志社主编；广州童年美术设计公司译.—
长沙：湖南少年儿童出版社,2014.8

（美国经典专注力培养大书）
ISBN 978-7-5562-0417-5

Ⅰ.①潜… Ⅱ.①美… ②广… Ⅲ.①智力游戏－儿童读物 Ⅳ.①G898.2

中国版本图书馆CIP数据核字(2014)第166772号

潜能大开发

出 版 人：胡　坚
质量总监：阳　梅
策划编辑：谭菁菁
责任编辑：巢晶晶
装帧设计：司马楚云
出版发行：湖南少年儿童出版社
地　　址：湖南长沙市晚报大道89号　　邮　　编：410016
电　　话：0731-82196340 82196341（销售部） 82196313（总编室）
传　　真：0731-82199308　　（销售部） 82196330（综合管理部）
常年法律顾问：北京市长安律师事务所长沙分所 张晓军律师
印　　刷：湖南天闻新华印务邵阳有限公司
开　　本：889×1194　　1/16
印　　张：5
版　　次：2014年8月第1版　　印　　次：2018年5月第16次印刷
定　　价：20.00元